it ∎ is ∎ a...

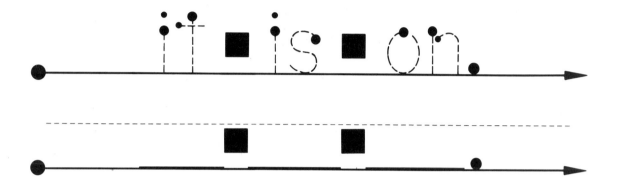

ē	n		c	o

c		ē		c		c	

ē		c		ē		ē	

c		ē		c		ē	

Copyright © 1995 SRA Macmillan/McGraw-Hill. All rights reserved.

n

i

☒ o ⓣⓗ

c

th   o

o   t

th   n

n   o

th   c

t   o

th

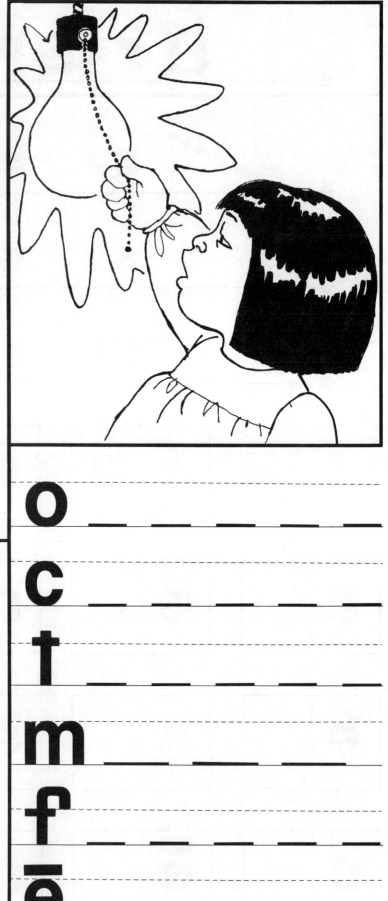

o •   • f

c •   • o

ē •   • t

t •   • ē

s •   • c

f •   • s

o

c

t

m

f

ē

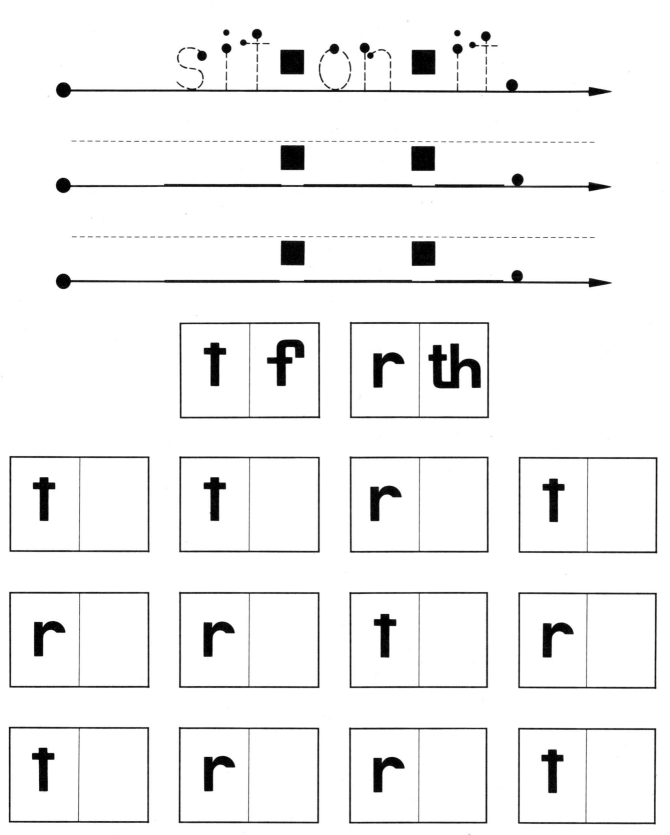

Copyright © 1995 SRA Macmillan/McGraw-Hill. All rights reserved.

i

† ✗ | Ⓒ

c   o

t

i   n   t

c   †   c

th   †

m

c   o

r •   • m

m •   • t

n •   • c

c •   • d

t •   • d

d •   • r

n

t

c

i

th

r

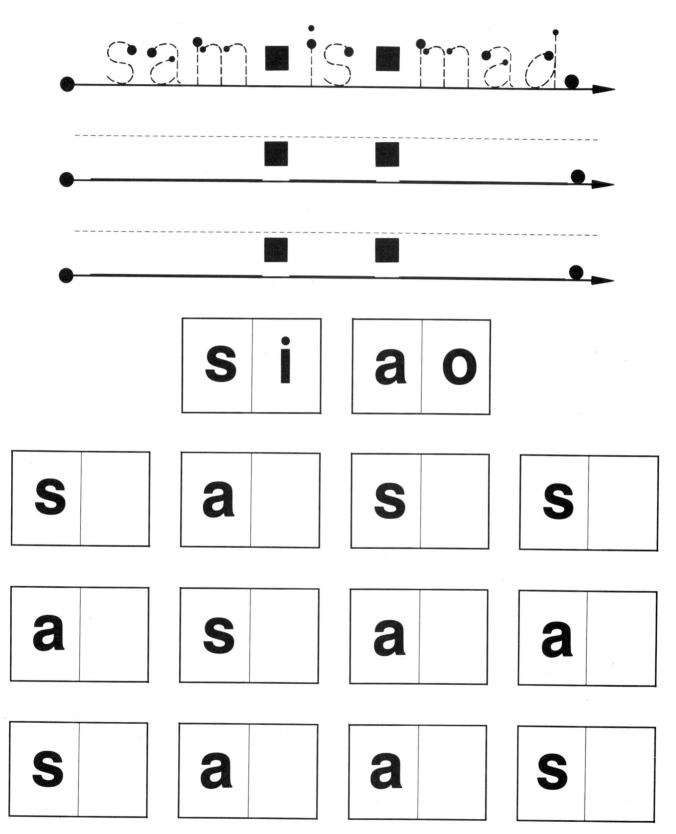

Copyright © 1995 SRA Macmillan/McGraw-Hill. All rights reserved.

r   n

r   r̄   r

ā   th

n   t

n   r

th   c

r   t   n   i

c •   • d

d •   • f

s •   • ē

o •   • s

ē •   • o

f •   • c

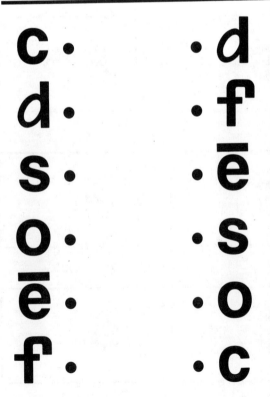

a

m

o

t

s

ē

Printed in the United States of America.

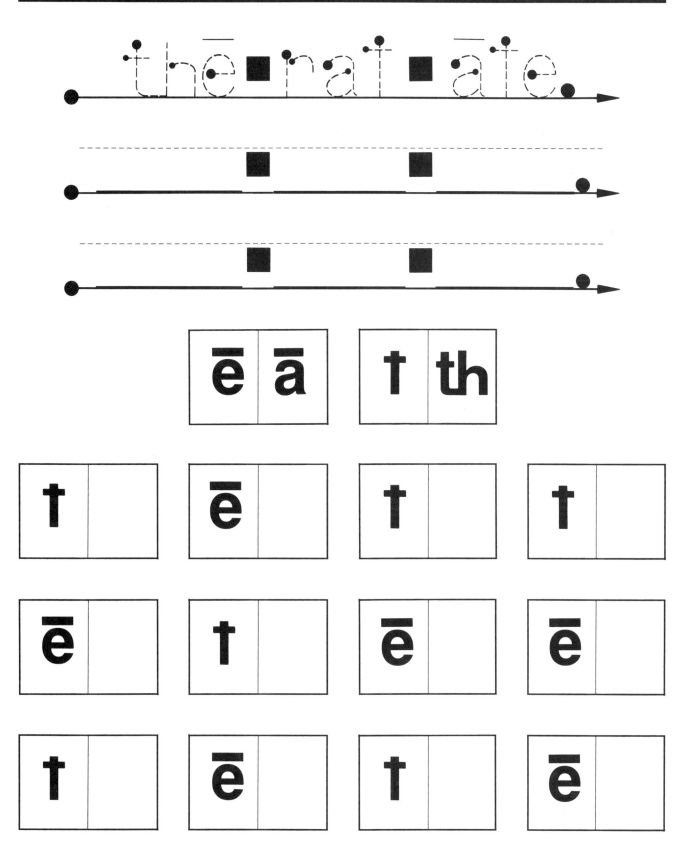

Copyright © 1995 SRA Macmillan/McGraw-Hill. All rights reserved.

c ⊠n ⓐ

a

o

n ā

a

c a

n t a

n ā n

a n

o

ā •   • n

c •   • ā

o •   • c

th •   • m

n •   • o

m •   • th

a

o

n

c

th

s

this ▪ is
not ▪ mē.

this ▪ is

▪

| ā | ē | | n | o |

| ā | | | n | | | ā | | | n | |

| n | | | ā | | | ā | | | n | |

| ā | | | n | | | n | | | ā | |

Copyright © 1995 SRA Macmillan/McGraw-Hill. All rights reserved.

n   ā̶ ©

c
    ā   o
  th c
    ā
  ā   †   ā
    c   n

  o   †   ā
    c

o •   • ā   ā   a a ∴ ∵
ō̄ •   • c   a
c •   • o   o
ē •   • n   n
n •   • th   s
th •   • ē   ē

this ▪ is

a ▪ rock.

this ▪ is

▪

| o | c |

| f | n |

| f | |

| o | |

| o | |

| f | |

| f | |

| f | |

| o | |

| o | |

| o | |

| o | |

| f | |

| f | |

Copyright © 1995 SRA Macmillan/McGraw-Hill. All rights reserved.

f   ✗t   (f)

f
c   t
t
f
o   f
th   n
th   t
f   c   f
o
th   t   c
o

ā •   • s
o •   • m
m •   • ā
c •   • o
s •   • t
t •   • c

a
c
o
ā   a a • • ·
i
e

this∎ sacᴋ

is∎ fat.

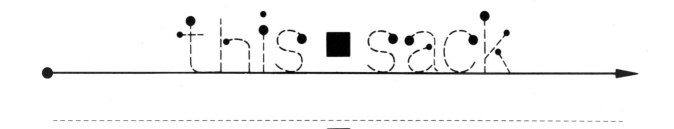

∎

a	a

a	m

a	a

a	s

a	r

r	c

r	ē

r	m

r	c

r	s

s	m

s	m

s	a

s	d

s	m

t	ē

t	ē

t	r

t	m

t	d

Copyright © 1995 SRA Macmillan/McGraw-Hill. All rights reserved.

n

r⃠ (n)

n

r

r

h

n

c

r

t

o

th

r

n

n

r

o

h

o

r

h •   • c

ā •   • th

n •   • ā

o •   • h

c •   • o

th •   • n

h

n

ē

d

f

i

is▪this
a▪mitt?

is ▪ this

▪

c	n

c	a

c	n

c	t

c	f

d	o

ē	o

t	o

d	o

a	o

f	ē

f	c

f	d

f	a

f	ē

i	i

i	s

i	i

i	n

i	i

Copyright © 1995 SRA Macmillan/McGraw-Hill. All rights reserved.

t

☒n ⓜ

m

i   n

m   n

i   h

n   i

m   n

n   t

th

h   m

---

h•   •ē

t•   •ō

o•   •oh

th•   •oht

ē•   •th

d•   •d

---

h

n

ā   a a · ·

o

a

c

thē ▪ man ▪ is
not ▪ sad.

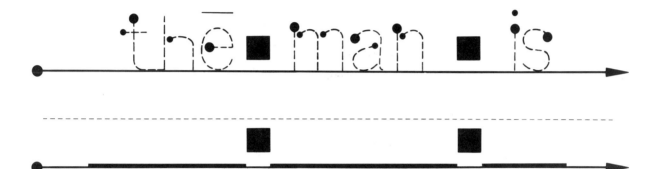

ē	m

c	m	ē	m	s	m	ē	m

o	s

o	a	o	t	o	s	o	d

r	d

r	t	r	d	r	a	r	c

n	f

m	f	c	f	n	f	t	f

Copyright © 1995 SRA Macmillan/McGraw-Hill. All rights reserved.

† ā ⊗ ⓐ

a

ā   d   ā

n   a

a   ā   c

    o

ā   n

   c   a

fat.   .sad

is.   .thē

thē.   .fat

sad.   .is

n

t

a

h

r

d

Printed in the United States of America.

thē ▪ man ▪ sat

on ▪ mē.

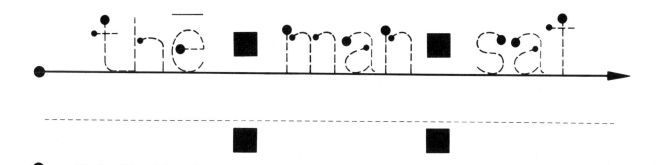

r	i

r	a	r	s	r	i	r	d

o	n

d	n	o	n	t	n	ā	n

f	a

f	f	f	ē	f	s	f	a

ē	ē

o	ē	ē	ē	m	ē	ē	ē

Copyright © 1995 SRA Macmillan/McGraw-Hill. All rights reserved.

c̶ ⊙o

o
ē
ā
        i
    o   c
c   n
    c   o
    th   c
c   r
    o   ā

not.   .it

is.   .mē

it.   .is

mē.   .not

h

u

n

c

s

i

hē ▪ is ▪ sicₖ

and ▪ sad.

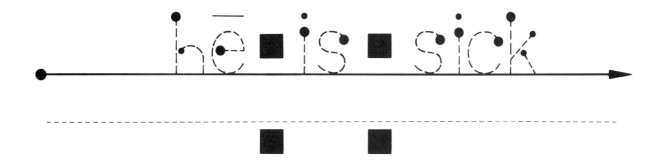

a	r

a	s	a	a	a	r	a	m

d	n

d	f	d	i	d	t	d	n

c	ē

ā	ē	s	ē	c	ē	c	ē

o	m

r	m	o	m	s	m	i	m

Copyright © 1995 SRA Macmillan/McGraw-Hill. All rights reserved.

~~k~~ (n)

f   n   t

f   h

o   t   h

n   c   n

h   ā

h

n   o

mad . . fan

sit . . am

fan . . sit

am . . mē

mē . . mad

h

u

n

ā

o

r

hē ▪ is ▪ in

thē ▪ sun.

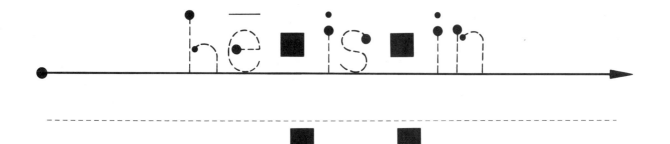

t	f		a	f		d	f		t	f		s	f
i	i		i	i		i	s		i	r		i	i
a	d		a	a		a	d		a	ā		a	d
h	n		ē	n		s	n		t	n		h	n

Copyright © 1995 SRA Macmillan/McGraw-Hill. All rights reserved.

h u n

u m o
   u
   n
u   t
   h n
i
   n u

c   n

sat. .mad

man. .fin

not. .man

mad. .sat

fin. .not

n

h

u

a

m

s

Printed in the United States of America.

hē▪āt₍e₎

a▪fat▪nut.

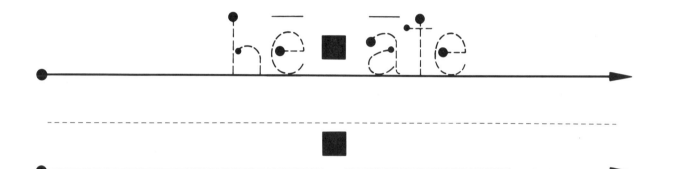

ā	o

ā	o		ā	i		ā	a		ā	o

m	c

n	c		h	c		m	c		a	c

r	s

h	s		r	s		a	s		ē	s

i	h

a	h		n	h		i	h		m	h

Copyright © 1995 SRA Macmillan/McGraw-Hill. All rights reserved.

c ~~i~~ (t)

i t d

i t n

h i t

t o th

h i

t

and.	.fat
is.	.hē
hē.	.not
not.	.and
fat.	.is

n

u

h

t

o

c

Printed in the United States of America.

hē ▪ had ▪ a ▪ hut.

hē ▪ had ▪ a ▪ nut

in ▪ his ▪ hut.

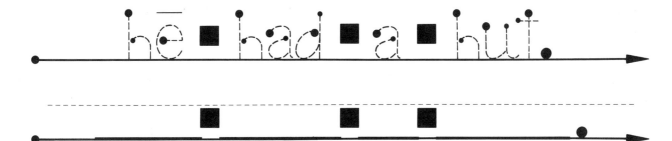

mud .   . rat

this .   . mud

that .   . this

rat .   . that

u

g

h   o

u   h

ā

g

h   u

c

~~u~~ (h)

Copyright © 1995 SRA Macmillan/McGraw-Hill. All rights reserved.

g _g_ _g_ _"_ _

u _ _ _

n _ _ _

h _ _ _

ā _ _ _

roc_k	
roc_k	
roc_k	
rat	
man	
mitt	

thē ▪ sun ▪ is ▪ hot.

a ▪ man ▪ ran ▪ a

fan ▪ at ▪ us.

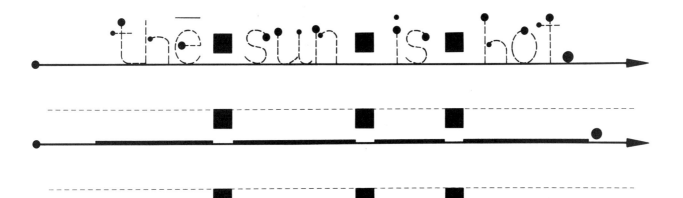

mādₑ

sicₖ

ātₑ

mad

mad

mādₑ

sicₖ

ātₑ

i

o

t   t

c

h

n   t   i

i   th

Copyright © 1995 SRA Macmillan/McGraw-Hill. All rights reserved.

g g g

g
o
ā
c
t

sacₖ		sacₖ		sacₖ	
sit		sit		sit	
sad		sad		sad	
hē		hē		hē	

Printed in the United States of America.

hē ▪ has ▪ a ▪ rug.

that ▪ rug ▪ is

in ▪ his ▪ hut.

hē ▪ has ▪ a ▪ rug.

thē .	. run
ran .	. that
run .	. ran
that .	. thē

g

g̶ (d)

t   d   c

d

ā   g

d

g   o   u

Copyright © 1995 SRA Macmillan/McGraw-Hill. All rights reserved.

g _g_ _g_ _ _

m _____

s _ _ _

h _ _ _

a _ _ _

nut		nut		nut	
fat		fat	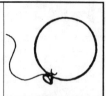	fat	
sun		sun		sun	
mad		mad		mad	

Printed in the United States of America.

hē ▪ is ▪ an ▪ ant.

hē ▪ has ▪ a ▪ soc_k

on ▪ his ▪ fēēt.

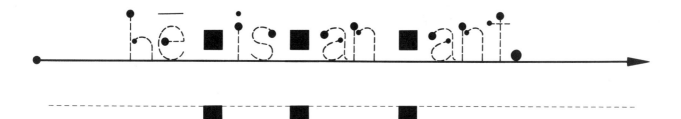

is   it

if   is

it   on

on   if

c

h

ā   n

n

u

o   h

h

g   n

k✕   (n)

Copyright © 1995 SRA Macmillan/McGraw-Hill. All rights reserved.

l
u
g
n
d

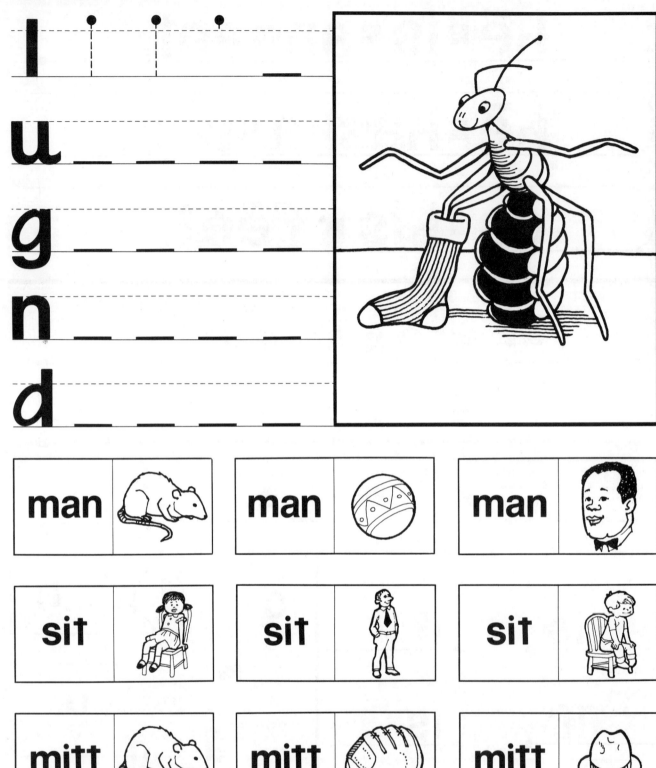

man		man		man	
sit		sit		sit	
mitt		mitt		mitt	
fat		fat		fat	

hē ▪ has ▪ an ▪ ant.

that ▪ ant ▪ āt_e

a ▪ fat ▪ sēēd.

hē ▪ has ▪ an ▪ ant.

rug .   . fat

fit .   . rug

fan .   . fit

fat .   . fan

g o ð ⓖ

d h d

u ā g

g u d

Copyright © 1995 SRA Macmillan/McGraw-Hill. All rights reserved.

g
a
l
u
n

sad	
sad	
sad	
hē	
hē	
hē	
fan	
fan	
fan	
rock	
rock	
rock	

Printed in the United States of America.

hē ▪ āt₍ₑ₎ ▪ a ▪ fig.

and ▪ hē

is ▪ sicₖ.

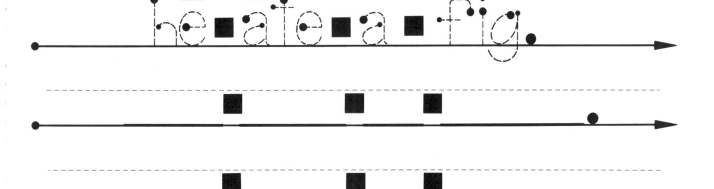

---

mēₐn

mēₐt

sat

rocₖ

sat

rocₖ

mēₐt

mēₐn

g

l

ā

ā

h

h

ō

l

ā

l

ā

g

X l ⊘ ā

Copyright © 1995 SRA Macmillan/McGraw-Hill. All rights reserved.

i
u
a
r

sicₖ	
sicₖ	
sicₖ	

rat	
rat	
rat	

rag	
rag	
rag	

sun	
sun	
sun	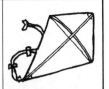

Printed in the United States of America.

h**ē** ■ has ■ a ■ sac**k**.

h**ē** ■ has ■ a ■ fan ■ and

a ■ rat ■ and ■ a ■ rag.

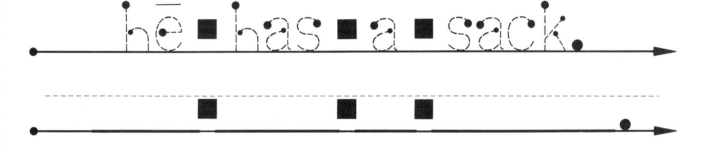

hē	sun
sad	mē
mē	sad
sun	hē

c

⊗ C

o   l   g
         o
u
      o   ā
      c
c   l

Copyright © 1995 SRA Macmillan/McGraw-Hill. All rights reserved.

i _ _ _ _ _

ē l _ _ _ _

o _ _ _ _ _

m _ _ _ _ _

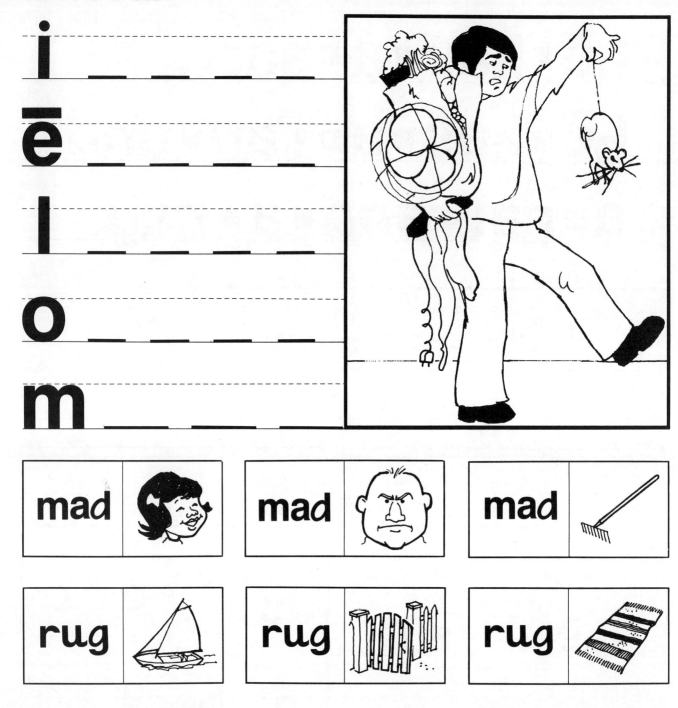

mad		mad		mad	

rug · rug · rug

mitt · mitt · mitt

sac k · sac k · sac k

Printed in the United States of America.

hē ▪ has ▪ fun.

hē ▪ is ▪ in ▪ thē ▪ rāɪn

and ▪ thē ▪ mud.

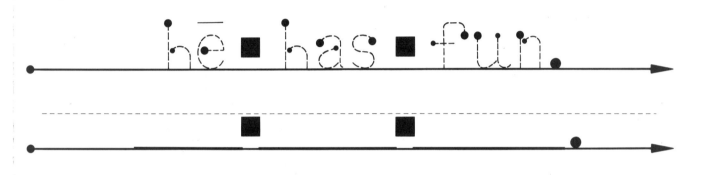

is	has
his	an
has	his
an	is

h

u

n

ā   n   g

n

u

o

u   c   n

Copyright © 1995 SRA Macmillan/McGraw-Hill. All rights reserved.

I __ __ __ __

o __ __ __ __

i __ __ __ __

d __ __ __ __

r __ __ __ __

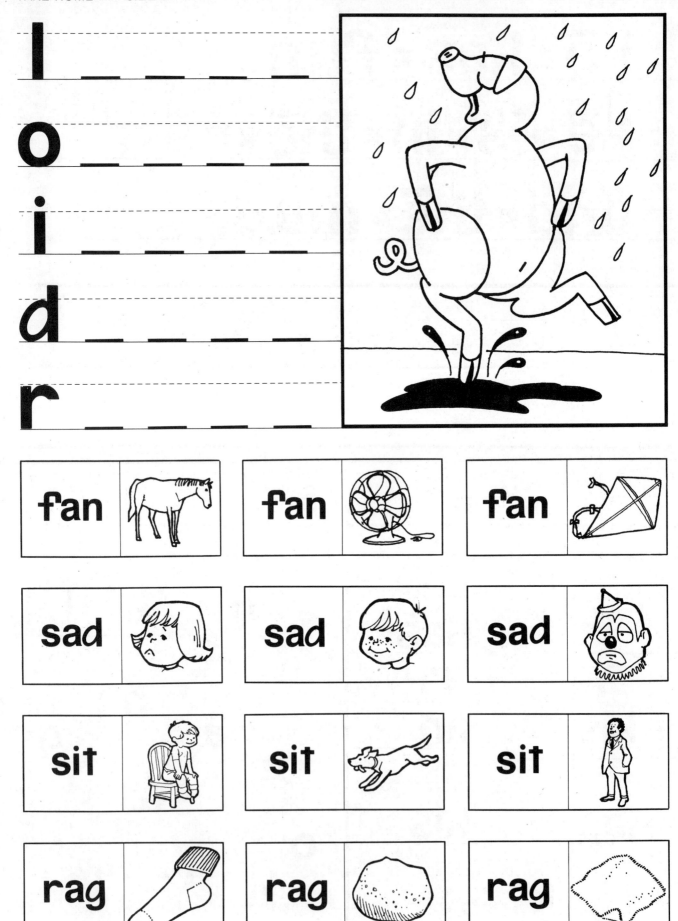

fan	
fan	
fan	
sad	
sad	
sad	
sit	
sit	
sit	
rag	
rag	
rag	

Printed in the United States of America.

thā͞t ■ man ■ has ■ thē ■ mā͞il.

hē ■ is ■ lā͞tₑ.

hē ■ has ■ thē ■ mā͞il.

fun	sit
fat	fun
sit	sicₖ
fan	fat
sicₖ	fan

i   ā

c   i

     g

w

    l

l   i

      u

Copyright © 1995 SRA Macmillan/McGraw-Hill. All rights reserved.

W w

n

l

t

a

 mē_an   mē_an   mē_an

fat   fat   fat

sic_k   sic_k   sic_k

roc_k   roc_k   roc_k

Printed in the United States of America.

thē ▪ loc_k ▪ is ▪ on ▪ a ▪ roc_k.

thē ▪ nut ▪ is ▪ on ▪ thē ▪ loc_k.

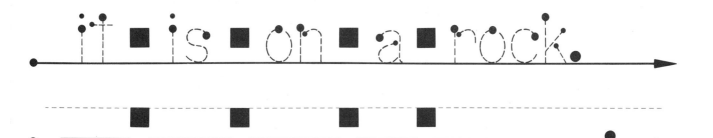

it ▪ is ▪ on ▪ a ▪ rock.

mā_il	lā̄t_e
lā̄t_e	sā_il
hat	mā_il
hā̄t_e	hat
sā_il	hā̄t_e

ⓧ w Ⓜ m

m
h
w   g   ā̄
w
m
l
o
w   m

Copyright © 1995 SRA Macmillan/McGraw-Hill. All rights reserved.

l

w w

g

h

ā

sack	
sack	
sack	

fan	
fan	
fan	

rat	
rat	
rat	

rag	
rag	
rag	

Printed in the United States of America.

wē ▪ sēē ▪ a ▪ hut. ▪ wē ▪ will

run ▪ in ▪ thē ▪ hut.

wē ▪ will ▪ locₖ ▪ thē ▪ hut.

we ▪ sēē ▪ a ▪ hut.

locₖ   licₖ

sicₖ   socₖ

rocₖ   locₖ

socₖ   rocₖ

licₖ   sicₖ

☒ ⓘ

c

l

w

i

w

i

l

l

o

l

g

i

Copyright © 1995 SRA Macmillan/McGraw-Hill. All rights reserved.

W w

g

c

l

o

hē		hē		hē	

nut		nut		nut	

rāin		rāin		rāin	

fun		fun		fun	

Printed in the United States of America.

his ▪ nāmₑ ▪ is ▪ ron.

hē ▪ will ▪ run. ▪ and

hē ▪ will ▪ sēē ▪ mē.

his ▪ nāme ▪ is ▪ ron.

hut	hit
hat	hut
nut	not
hit	nut
not	hat

~~th~~ (sh)

th

sh   h   th

ā

w

th   sh

u   sh

l

Copyright © 1995 SRA Macmillan/McGraw-Hill. All rights reserved.

Sh *Sh*

n _ _ _ _ _ _

w _ _ _ _ _

a _ _ _ _

s _ _ _ _

rug 	**rug** 	**rug**
sit	**sit**	**sit**
sack 	**sac**k	**sac**k 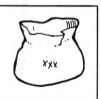
māil 	**mā**il	**mā**il 

Printed in the United States of America.

wē · had · a · ram.

that · ram · ran.

wē · ran · and

hē · ran.

wē · had · a · ram.

th		s̶h̶	t̲h̲	ron	sēē
	c			sēē	rat
Sh		g		run	ron
	l	th	sh	ran	sit
th	ā	w		sit	run
g		sh	th	rat	ran
	sh	u			

Copyright © 1995 SRA Macmillan/McGraw-Hill. All rights reserved.

Sh Sh

w

g

u

a nut	a man	roc₍ₖ₎
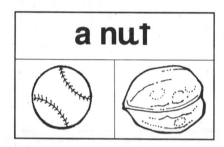		

sad	rat	a sac₍ₖ₎

rag	a loc₍ₖ₎	run

a rug	sit	a hat

Printed in the United States of America.

this · is · a · cat.

this · cat · has · fat

fēēt. · this · cat · can

run · in · thē · mud.

this · is · a · cat.

h   ā

⊠ n (h)

h   n

h   h o

sh   g n

    n

l c

n   h

sh

wē   rāin

mad   mud

will   māde

māde   mad

mud   wē

rāin   will

Copyright © 1995 SRA Macmillan/McGraw-Hill. All rights reserved.

th
sh   sh
w
g

hut	**a lock**	**a fan**
hē	**run**	**māil**
mad	**rāin**	**a rock**
sick	**fat**	**mitt**

Printed in the United States of America.

shē·has·a·cat. →

that·cat·is →

not·littl e.·that·cat →

is·fat. →

cat . | . fat
can . | . fun
fun . | . fig
fat . | . fēēt
fēēt . | . cat
fig . | . can

h
⊠ m (w)
m
w
w m l
g m
w
m
h
sh w
u ā
m

Copyright © 1995 SRA Macmillan/McGraw-Hill. All rights reserved.

th _____

a _____

sh _____

l _____

a sack 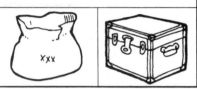	**sit** 	**nut** 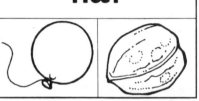
man 	**a rag** 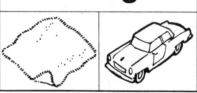	**mē**a**n** 
mud 	**rā**i**n** 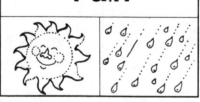	**mā**i**l** 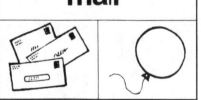
hē 	**rug** 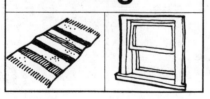	**a hut** 

Printed in the United States of America.

hē·has·a·shacₖ.

thē·shacₖ·is·in·thē

sand.·thē·man·is

in·thē·shacₖ.

hē·has·a·shack.

ā	a
⊠	Ⓐ

a

ā

w

h

w

a

ā

a

ā

w

c

ā

ā

g

a

sh

shē

sat

fat

fan

sacₖ

sit

fan

sit

sacₖ

fat

sat

shē

Copyright © 1995 SRA Macmillan/McGraw-Hill. All rights reserved.

sh _ _ _ _ _
w _ _ _ _
h _ _ _
g _ _ _

lock

run

mad

a fan

mitt

rāin

sick

sad

a rock

fat

hē

mēan

Printed in the United States of America.

hē·had·fun.

shē·had·fun·in·thē

sand.·and·thē·cat·had

fun·in·thē·sand.

hē·had·fun.

rat ran ~~rat~~

rat

me̅

rat   at

rat

we̅

sat

rat

rat

rat

rug   on

hē

has

sock

she̅

is

shack

shack

he̅

she̅

sock

has

is

Copyright © 1995 SRA Macmillan/McGraw-Hill. All rights reserved.

o _ _ _ _ _

a _ _ _ _ _

ā _ _ _ _ _

ā _ _ _ _ _

u _ _ _ _ _

a rat	hut	man
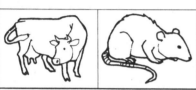		
him	sad	a rocₖ

sit	a sacₖ	run
	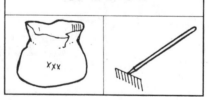	
fēēt	cat	māil
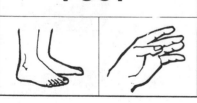		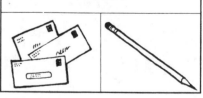

Printed in the United States of America.

shē is in thē rāin.

shē has a sack. māil is

in that sack. will shē rēad

thē māil?

she is in the rain.

sēē	had
mad	has
fat	and
~~sēē~~	an
sēē	hand
sēē	and
sack	has
man	had
sēē	sand
shē	hand
sēē	an
mud	sand
sēē	sick

Copyright © 1995 SRA Macmillan/McGraw-Hill. All rights reserved.

i _____

u _____

w _____

g _____

a cat

fat

lock

he̅

run

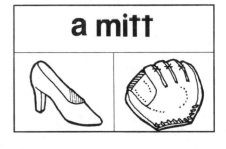

a mitt

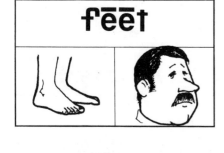

fe̅e̅t

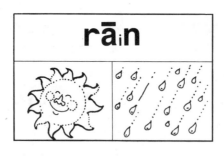

ra̅ın

she̅

little

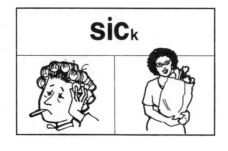

sick

a rug

Printed in the United States of America.

sam has ēₐrs.

sam has a tāᵢl.

sam is not a man.

sam is not a cat.

sam has ēars.

run   fēēt   ~~run~~   shot   hot

rug   at   hat

ran   not   rat   shot

run   run   hot   an

hut   an   rat

run   run

cat   hat   at

run   fun

Copyright © 1995 SRA Macmillan/McGraw-Hill. All rights reserved.

Sh _____ _____

n _____ _____

l _____ _____

th _____ _____

shac_k

sand

sad

she̅

mud

a roc_k

him

sit

cat
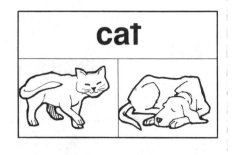

me̅_an

ma̅_il

a fan

Printed in the United States of America.

thē sand is hot.

his fēēt got

hot. his hat is

not hot.

---

sat

~~sat~~	

fat

sat   sand   roc_k

sēē   sat

sat

at

sat   sat

hut   sat   hē

ē_ar	ē_at
tā_il	cat
fig	ē_ar
ē_at	fig
cat	tā_il
nām_e	nām_e

Copyright © 1995 SRA Macmillan/McGraw-Hill. All rights reserved.

h _ _ _ _ _ _ _

n _ _ _ _ _ _

w _ _ _ _ _ _

r _ _ _ _ _

sack 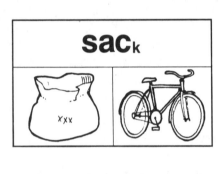	**fēēt** 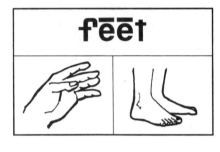

sack

fēēt

a lock

a rug

shē

fat

shack

rāın

hē

mad

little

fan

Printed in the United States of America.

a fish mād_e a wish.

"I wish I had fēēt. I wish

I had a tā_il. I wish I had

a hat. I wish I had a dish."

a fish māde a wish.

shē ~~shē~~ hot got

hot shē got not

shē not hat rat

shē hē not hot

fun shē rat fat

sac_k

māde fat hat

shē hat

Copyright © 1995 SRA Macmillan/McGraw-Hill. All rights reserved.

f _ _ _ _ _ _ _

a

I

r _ _ _ _ _

rag	**sand**	**a hut**

a rat	**run**	**shē**

mā₁l	**a rug**	**rock**

cat	**sick**	**him**
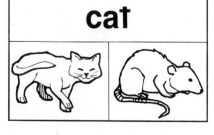		

Printed in the United States of America.

now I will run.

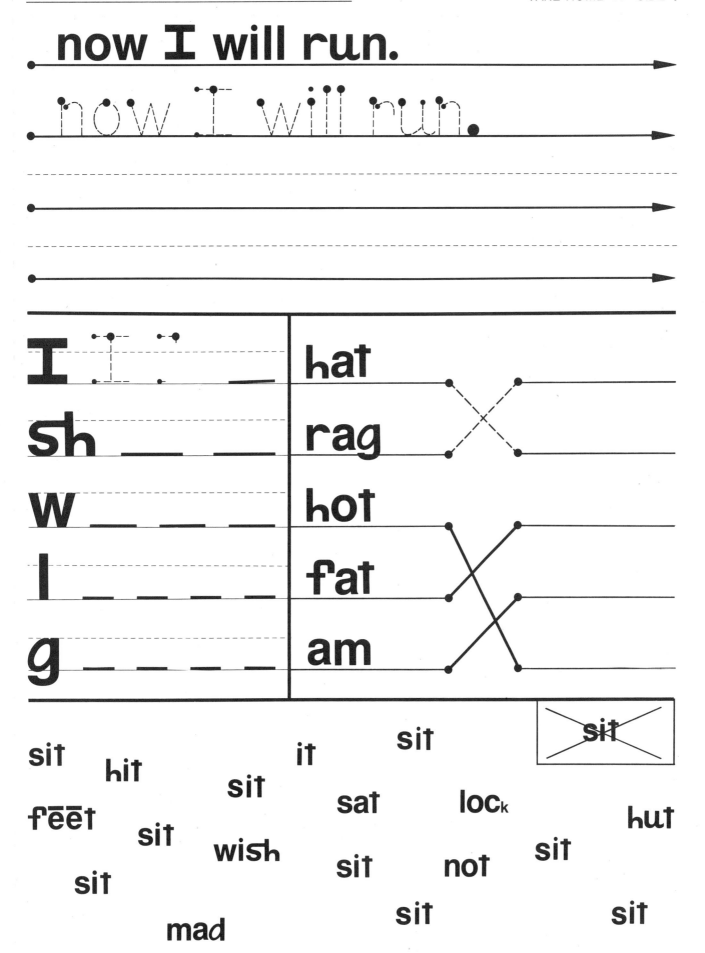

I   hat

Sh   rag

W   hot

l   fat

g   am

sit

sit   hit   it   sit

sit   sat   lock

feet   sit   wish   sit   not   sit   hut

sit   sit   sit

mad

Copyright © 1995 SRA Macmillan/McGraw-Hill. All rights reserved.

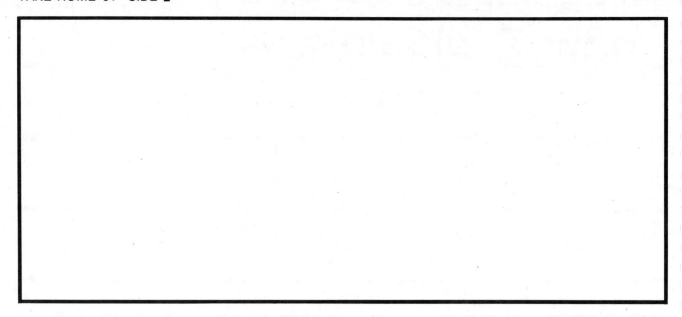

a nut	fat	shē

tāil	a man	ēars
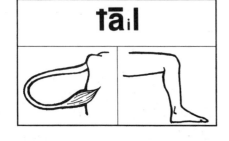		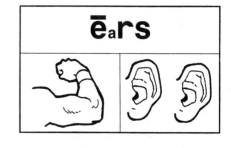

sit	fēēt	shack
	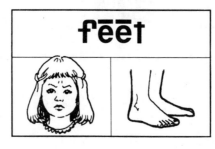	

rug	a cat	rāin

Printed in the United States of America.

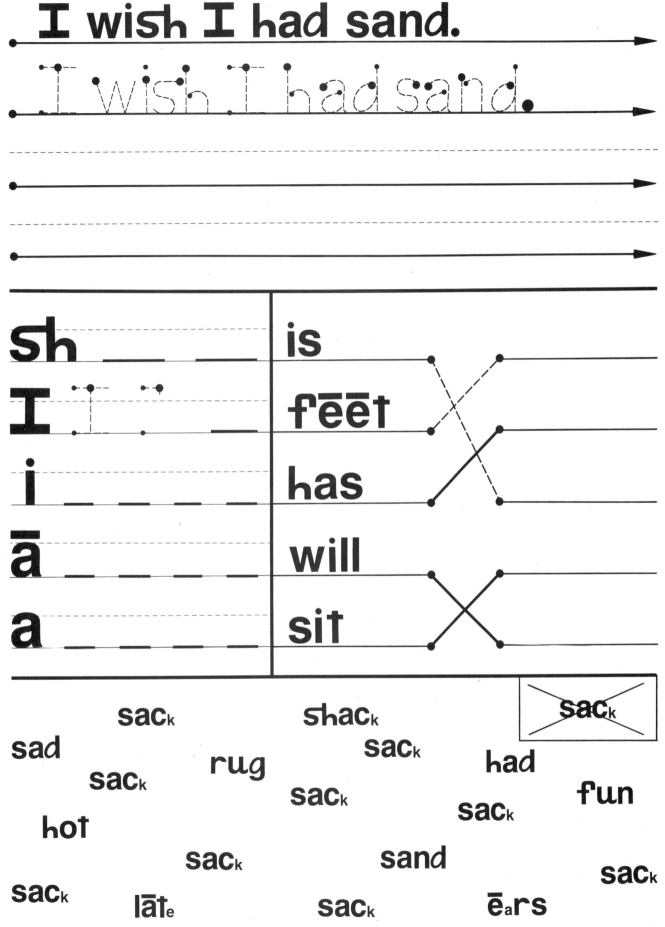

I wish I had sand.

Sh _____
I _____
i _____
ā _____
a _____

is
feet
has
will
sit

sad

sac_k

sac_k

rug

hot

shac_k

sac_k

sac_k

sand

sac_k

had

sac_k

fun

sac_k

sac_k

lāt_e

sac_k

ē_ars

Copyright © 1995 SRA Macmillan/McGraw-Hill. All rights reserved.

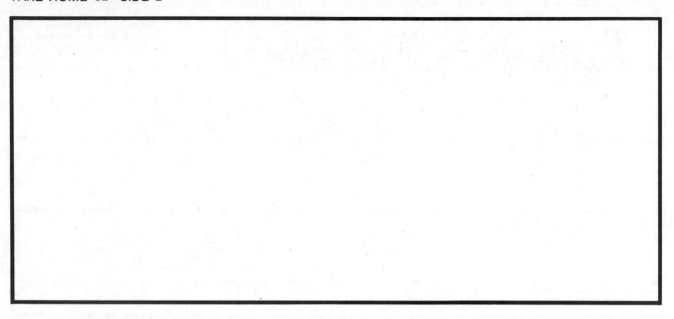

a tāil

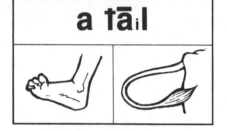

run

rock

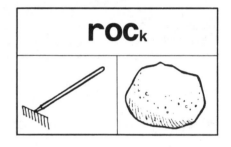

him

sack

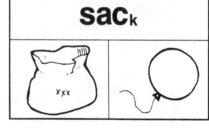

mad

māil

sand

fēēt

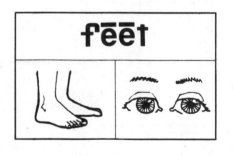

a hat

ēars

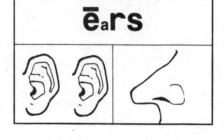

little

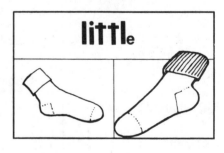

Printed in the United States of America.

thē cat has fun.

---

w _____	**fish**
c _____	**and**
o _____	**at**
sh _____	**nāme**
ā _____	**hē**

wē

and
wē   wē   hē   wē
    tāil   wē   nāme   got
run   wē   wē
              now
    wē   this   wē   wē
wē   hat

Copyright © 1995 SRA Macmillan/McGraw-Hill. All rights reserved.

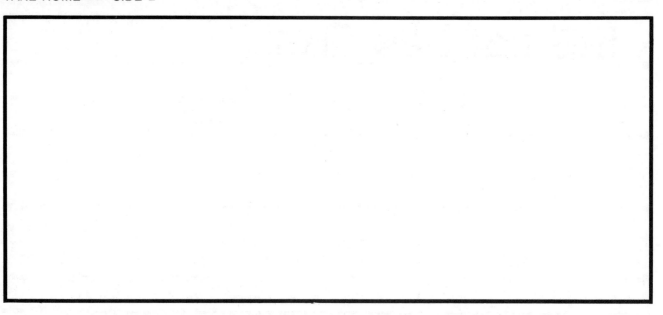

hat	**a rat**	**shē**
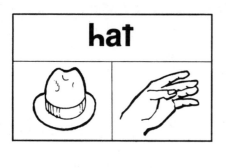	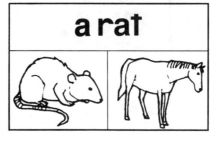	

a fish	**rāin**	**sad**
	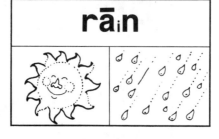	

a mitt	**dish**	**ēars**
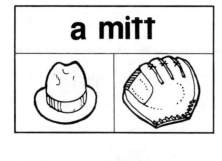		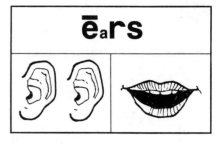

a cat	**fan**	**hē**
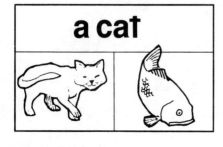	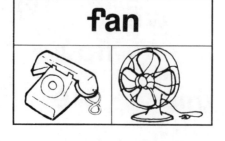	

Printed in the United States of America.

thē fish had fun.

thē fish had fun.

k k	**had**
c	**mom**
o	**fun**
d	**ham**
t	**shē**

this   his   thē   this   ~~this~~

littlₑ   this   this   this

this   not   is   will   mādₑ

sēē   this   this   this

shot

Copyright © 1995 SRA Macmillan/McGraw-Hill. All rights reserved.

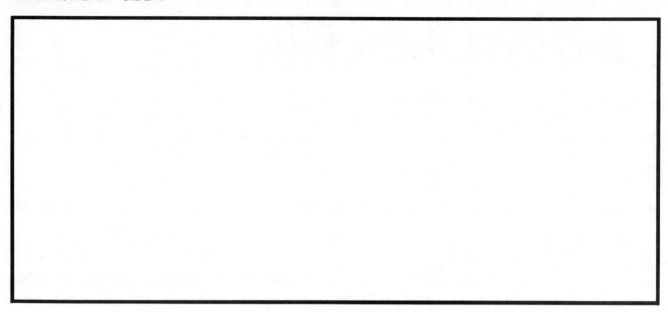

a fish

fat

sit

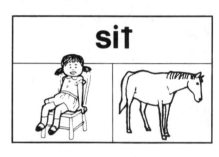

hill

fēēt

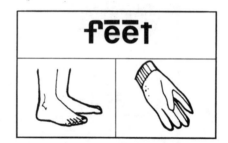

a rug

a man

sand

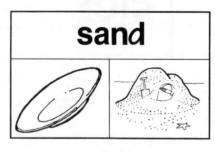

hut

hat

a dish

tāil

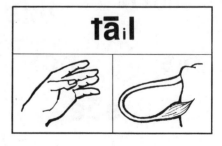

Printed in the United States of America.

shē sat on a hill.

she sat on a hill.

---

o	did	
k	not	
I	cat	
ā	fēēt	
h	sick	

is   with   is   is   did

is   fun   this

is   is

wish   is

lāke   sand   his

is   thē

is

Copyright © 1995 SRA Macmillan/McGraw-Hill. All rights reserved.

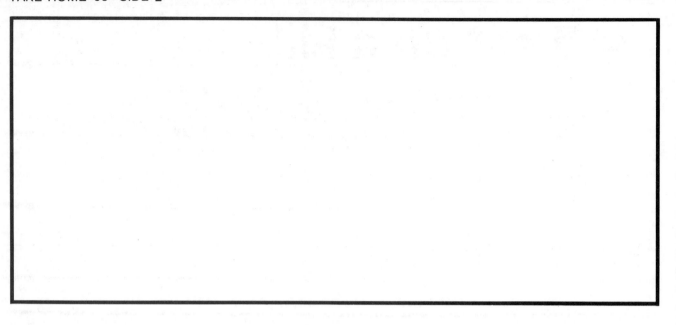

a dish

shē

rag

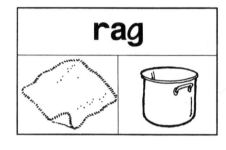

fēēt

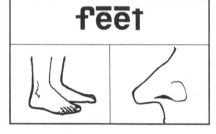

shacₖ

a mitt

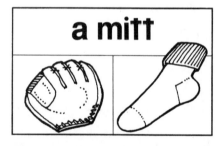

a rākₑ

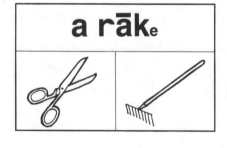

him

fan

ēₐrs

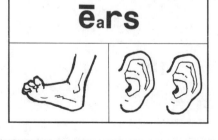

lākₑ

sit

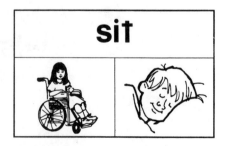

Printed in the United States of America.

I am lāt_e. I āt_e ham on a hill.

I āt_e and āt_e. and now I am

lāt_e. I will run.

Copyright © 1995 SRA Macmillan/McGraw-Hill. All rights reserved.

hē has a fat cat. hē has fun

with his fat cat.

his mom has a littlₑ cat. shē

has fun with thē littlₑ cat. thē

littlₑ cat has fun in thē sand.

shē said, "I āt_e."

shē said, "I āte."

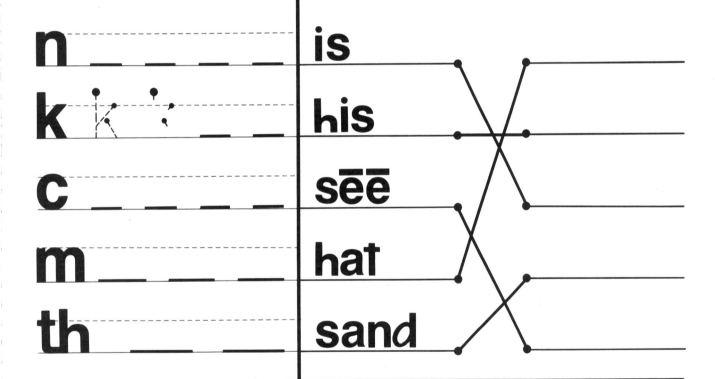

n	is
k	his
c	sēē
m	hat
th	sand

shē said fēēt

shack   hē shē   shē

shē   shē

shē   got   shē

shē   cow shē   shē   the   tāil

shē

Copyright © 1995 SRA Macmillan/McGraw-Hill. All rights reserved.

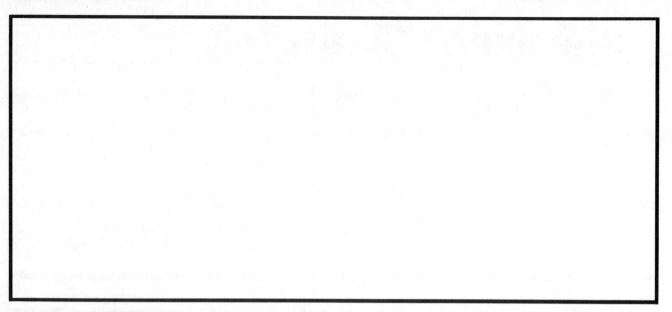

rāke

a dish

cat
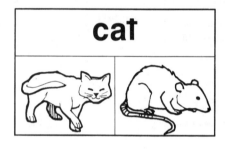

mom

tāi**l**

little

sand

a rag

lāke

a hill

ēa**rs**
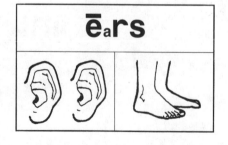

sack
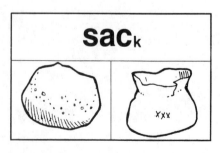

shē said, "I am mē."

shē said, "I am mē."

h _ _ _ _ _ _	rock
d _ _ _ _ _ _	māil
k _ _ _ _ _ _	fat
s _ _ _ _ _ _	fun
ē _ _ _ _ _ _	wē

that   fish   that   āte   ~~that~~

hot   that   at   that

that   fat   that

that   mom   this   now

gun   that   that

Copyright © 1995 SRA Macmillan/McGraw-Hill. All rights reserved.

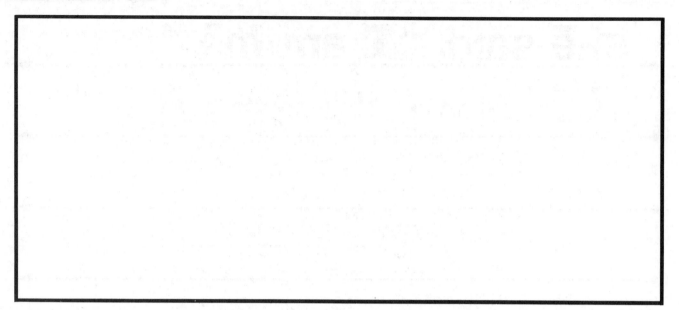

hill

hē

sad

a loc_k

fat

hut

a fish

mom

fēēt

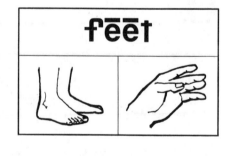

tā_il

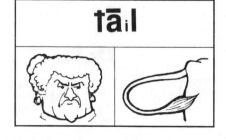

rā_in

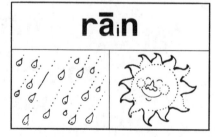

a fan

Printed in the United States of America.

shē was not mad.

shē was not mad.

f	can
k	dish
c	āte
r	man
m	got

~~nō~~

nō   gāte   nō

am

hat   nō   sand   not   nō

nō   nō   tāil

nō   nō

cow   wish   hit   nō

Copyright © 1995 SRA Macmillan/McGraw-Hill. All rights reserved.

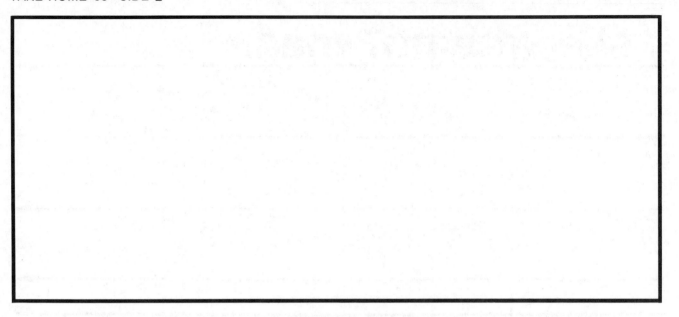

gāte

a cow

māil

dish

sock

a cat

shē

a rāke

rāin

him

a shack

hill

Printed in the United States of America.

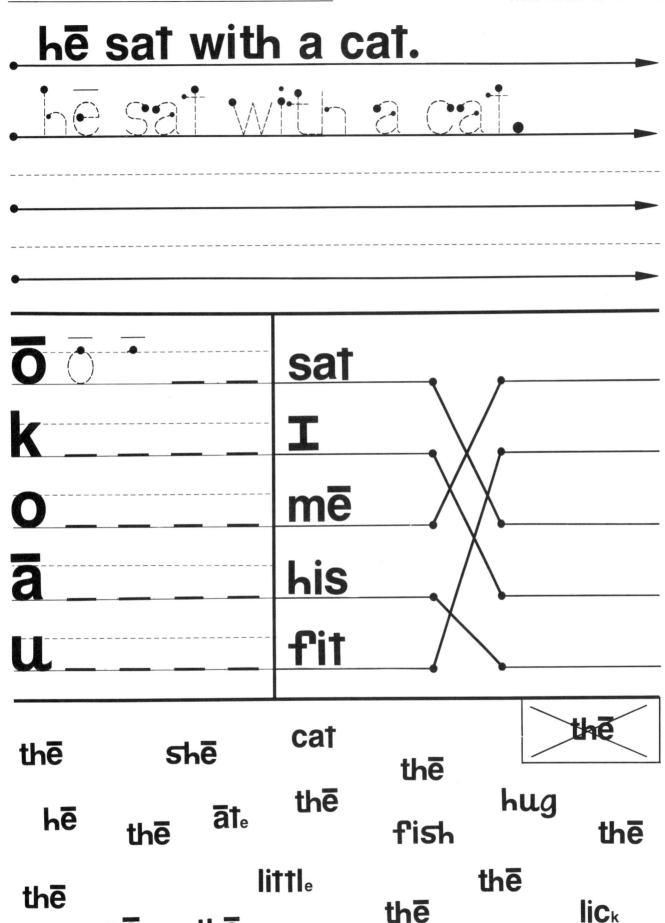

hē sat with a cat.

hē sat with a cat.

ō	sat
k	I
o	mē
ā	his
u	fit

thē   shē   cat   thē

hē   thē   āt_e   thē   hug

thē   fish   thē

thē   littl_e   thē

nō   thē   thē   lic_k

~~thē~~

Copyright © 1995 SRA Macmillan/McGraw-Hill. All rights reserved.

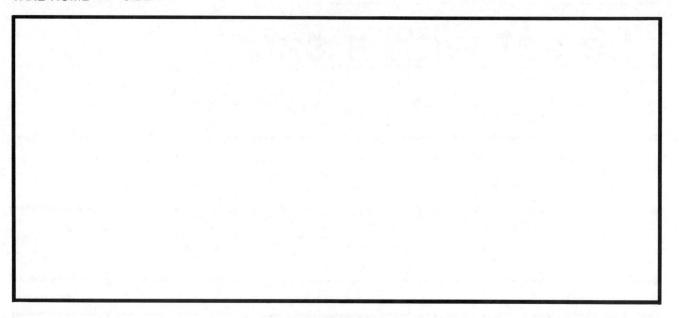

a cow

fan

fish

lāke

mom

sand

ēa**rs**

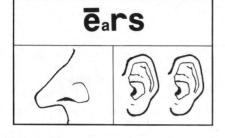

a mitt

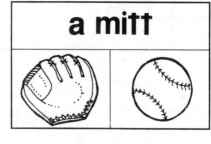

fēēt

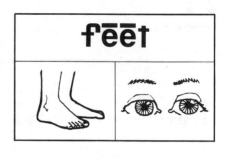

a rag

lock

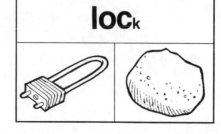

him

Printed in the United States of America.

hē has nō tēēth.

hē has nō tēēth.

k	**kick**
o	**got**
ō	**said**
m	**cow**
ē	**with**

if

him

if

if

said

nō

if

kick

if

now

if

if

rug

if

thē

if

wish

if

fēēl

Copyright © 1995 SRA Macmillan/McGraw-Hill. All rights reserved.

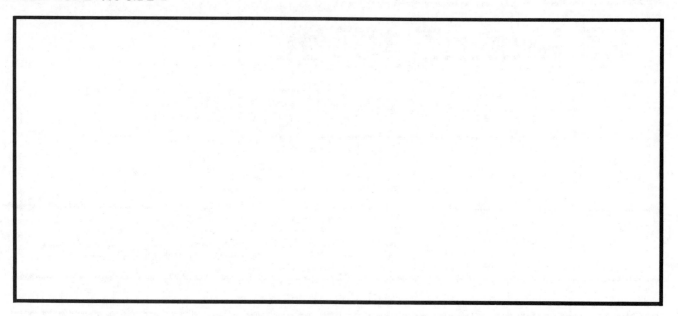

lāk_e

cow

tāil

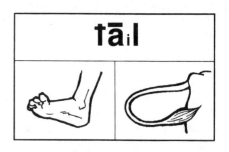

shē

dish

a rāk_e

hill

a shac_k

sic_k

a cat

sac_k

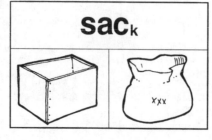

fat

Printed in the United States of America.

a fish āt_e a roc_k. thē fish

said, "I āt_e a roc_k."

a cow āt_e thē fish. thē cow

said, "I āt_e a fish. and now I

fēēl sic_k."

Copyright © 1995 SRA Macmillan/McGraw-Hill. All rights reserved.

shē was not mad at him. did

shē hit him? nō, nō, nō. did shē

hug him? nō, nō, nō. did shē

kiss him?

Printed in the United States of America.

I can kiss a cat.

I can kiss a cat.

ō ŏ ŏ _ _ _

ō	**lāke**
d	**now**
i	**wish**
th	**lick**
l	**sad**

him   him   nō   ~~him~~

hit   him   him   if   him

hat   hug

him   cāke   ēat   him

him   kiss   will

Copyright © 1995 SRA Macmillan/McGraw-Hill. All rights reserved.

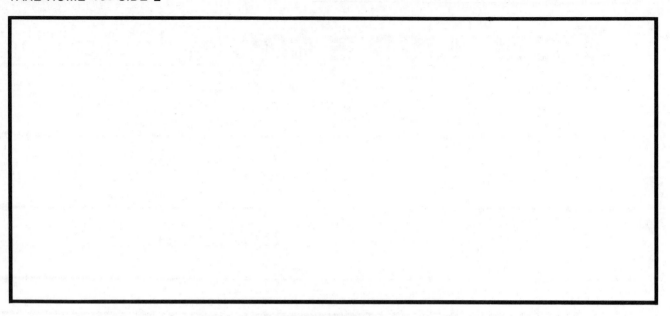

a rug

fēēt

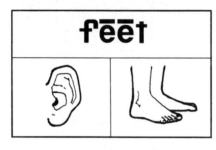

him

hut

māil

ēars

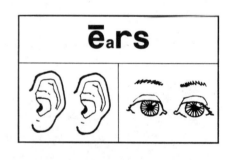

kiss

mom

a lāke

a rock

hat

lick

Printed in the United States of America.

a cat is on thē cow.

a cat is on thē cow.

ō _ _ _ _ _	**sō**
k _ _ _ _ _	**run**
Ī _ _ _ _ _	**mad**
Sh _ _ _ _ _	**nō**
u _ _ _ _ _	**sick**

thē   and   licₖ   ~~and~~

and   sat   rat   nō   and

and   and   and

and   ātₑ   and

sand   and   him   and   man

Copyright © 1995 SRA Macmillan/McGraw-Hill. All rights reserved.

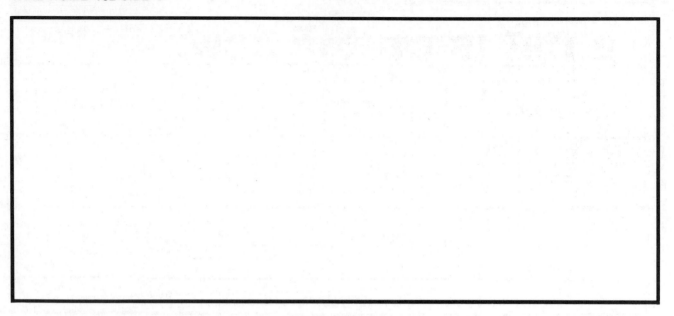

a cat

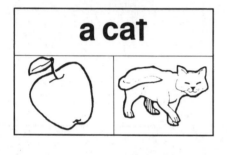

sand

shē

sad

a fish

shack

a rāke

sit

a cow

lock

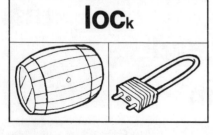

hē

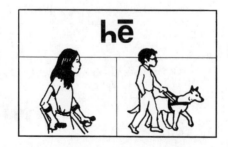

mitt

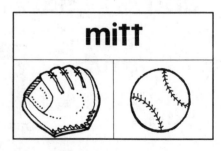

Printed in the United States of America.

I can hōld thē hats.

I can hōld thē hats.

ā _ _ _ _ _	**cāke**
ō _ _ _ _ _	**fan**
o _ _ _ _ _	**it**
a _ _ _ _ _	**was**
v _ _ _ _ _	**man**

cow   havₑ   cow

kiss   cow   cow

cat   if   cow   wish

cow   cow   cow   cow

now   how   lātₑ   cow   fēēt

Copyright © 1995 SRA Macmillan/McGraw-Hill. All rights reserved.

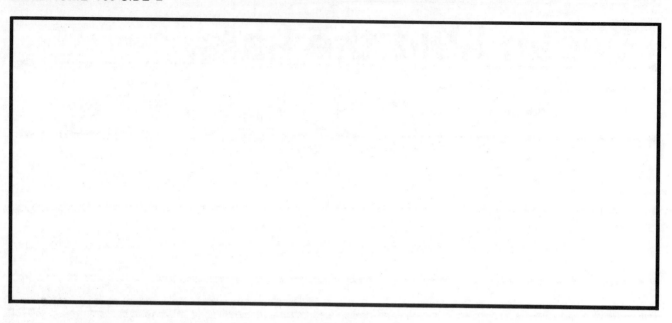

nōs_e	a cat	fat

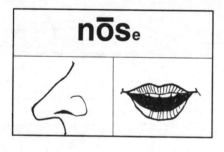  

rag	mom	a dish

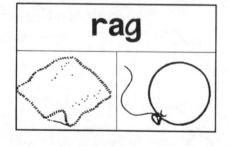  

lāk_e	fēēt	tēēth

 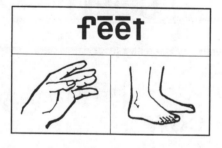 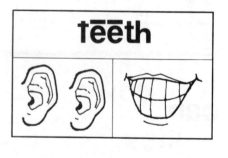

kiss	a cow	lic_k

 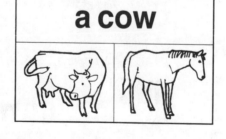 

Printed in the United States of America.

wē hAVₑ sACₖs.

wē have sacks.

th _____   rag

Sh _____   him

h _____   thē

l _____   rug

g _____   sēē

can

can   can   nō   can

     fish   can

          cat   tēēth

     can   and   can

sand

     cow

can   is   not   can

Copyright © 1995 SRA Macmillan/McGraw-Hill. All rights reserved.

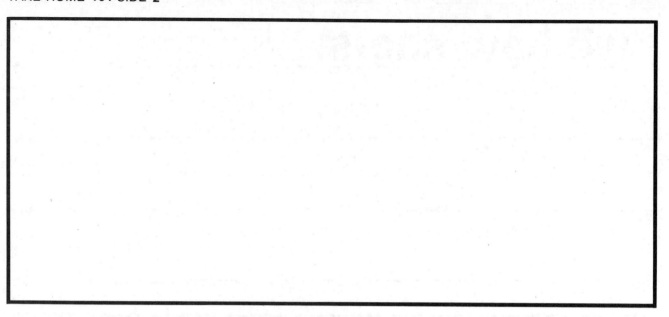

kitt_e_n

hit

ē_a_rs

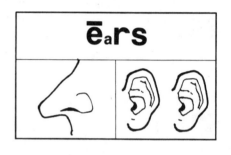

sh_ē_

a sac_k_

sand

rāk_e_

a roc_k_

loc_k_

a rug

tēēth

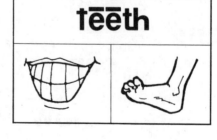

fan

* Printed in the United States of America.

the ōld man shāves.

the ōld man shāves.

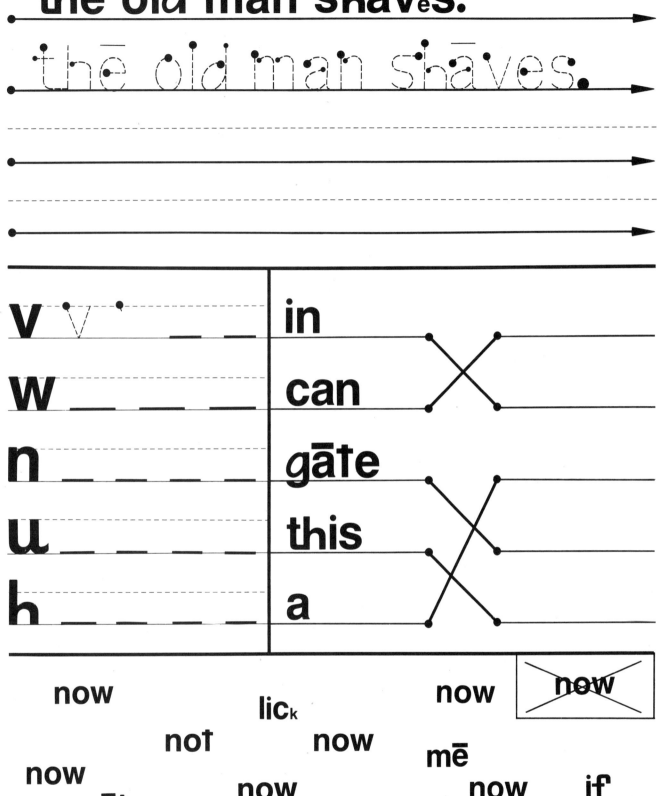

v	in
w	can
n	gāte
u	this
h	a

now

lick

not   now

now   me

now   ate   now   if

now   kitten   cow   now

can   now

has   now

Copyright © 1995 SRA Macmillan/McGraw-Hill. All rights reserved.

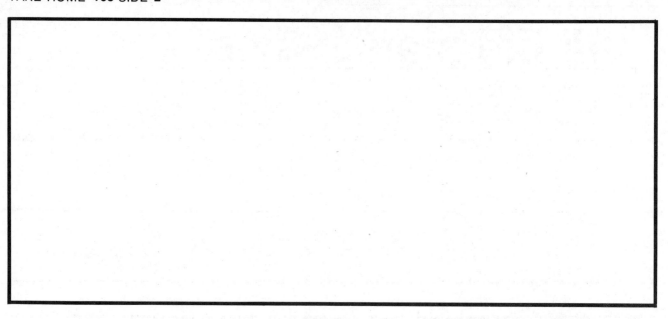

a cow

lāke

hill

mom

kiss

a rock

tēēth

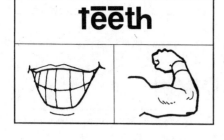

mitt

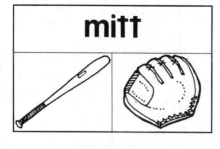

a dish

a fish

nōse

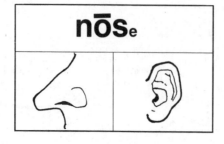

shack

Printed in the United States of America.

I can kiss a cat. I can kiss

a kitten.

can a cow kiss mē? nō. a cow

can not kiss mē. a cow can

lick mē.

can a cat lick a kitten?

Copyright © 1995 SRA Macmillan/McGraw-Hill. All rights reserved.

wē havₑ hats. I can hōld thē

hats. thē cow can hōld thē hats.

an ōld man can hōld thē hats.

can a fat rat hōld thē hats?

Printed in the United States of America.

give me a sock.

give me a sock.

ō		lāte
I		that
v		hōld
k		rock
u		mē

hats

sit

hats

at

hats

rock

little

hats

ōld

hats

hats

now

have

can

wē

hats

hats

Copyright © 1995 SRA Macmillan/McGraw-Hill. All rights reserved.

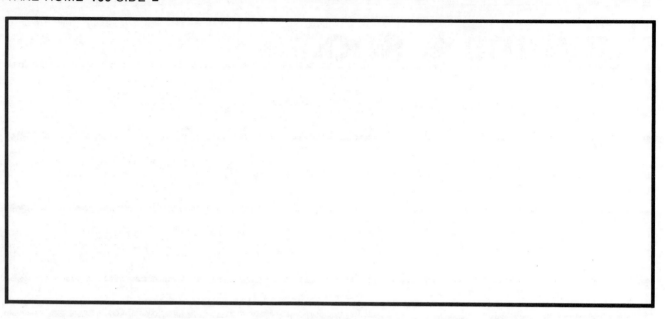

thē hats

ōld

a sacₖ

mad

ēₐrs

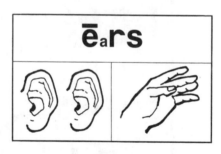

mom

a dish

nōsₑ

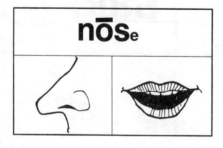

locₖ

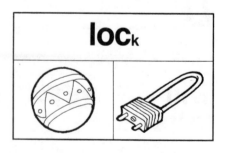

fēēt

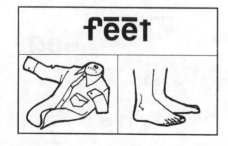

sad

kittₑn

Printed in the United States of America.

thē man was cōld.

thē man was cōld.

w _ _ _ _	shē
k _ _ _ _	mitt
v _ _ _ _	ran
f _ _ _ _	hats
ā _ _ _ _	said

will   nēēd   did   nēēd   nēēd

nēēd   nō   nēēd   can   fēēt

sand   nēēd   teeth   nēēd

nēēd   nēēd   ēat   hōld   nēēd

Copyright © 1995 SRA Macmillan/McGraw-Hill. All rights reserved.

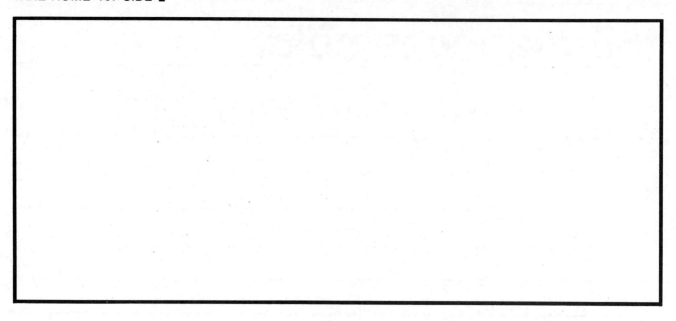

a sacₖ

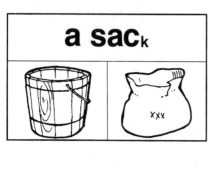

tēēth

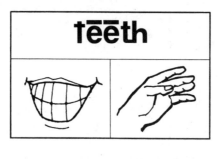

thē rocₖ**s**

kiss

shē

shacₖ

fan

a man

sand

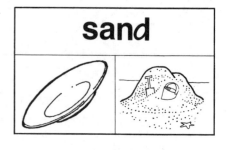

a tāᵢ**l**

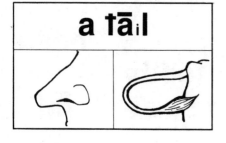

dish

sit

Printed in the United States of America.